中华人民共和国国家标准

建材矿山工程测量技术规范

Technical code for engineering surveying of building materials mine

GB/T 51178-2016

主编部门:国家建筑材料工业标准定额总站
批准部门:中华人民共和国住房和城乡建设部
施行日期:2017年4月1日

中国计划出版社

2016 北京

中华人民共和国国家标准

建材矿山工程测量技术规范

GB/T 51178-2016

☆

中国计划出版社出版发行

网址：www.jhpress.com

地址：北京市西城区木樨地北里甲11号国宏大厦C座3层

邮政编码：100038　电话：(010) 63906433（发行部）

三河富华印刷包装有限公司印刷

850mm×1168mm　1/32　2.5印张　60千字

2017年2月第1版　2017年2月第1次印刷

☆

统一书号：1580242·987

定价：15.00元

中华人民共和国住房和城乡建设部公告

第 1278 号

住房城乡建设部关于发布国家标准《建材矿山工程测量技术规范》的公告

现批准《建材矿山工程测量技术规范》为国家标准，编号为 GB/T 51178—2016，自 2017 年 4 月 1 日起实施。

本规范由我部标准定额研究所组织中国计划出版社出版发行。

中华人民共和国住房和城乡建设部

2016 年 8 月 18 日

前　言

本规范是根据住房城乡建设部《关于印发〈2013年工程建设标准规范制订、修订计划〉的通知》(建标〔2013〕6号)的要求，由建材成都地质工程勘察院、沈阳建材地质工程勘察院会同有关单位共同编制完成。

本规范编制过程中，编制组经广泛调查研究，认真总结实践经验，参考有关国内外先进标准，并在广泛征求意见的基础上，最后经审查定稿。

本规范共分8章和3个附录，主要内容包括：总则、术语、基本规定、设计测量、施工测量、生产运营测量、成果质量检查、成果报告编写与验收等。

本规范由住房城乡建设部负责管理，由国家建筑材料工业标准定额总站负责日常管理，由建材成都地质工程勘察院负责具体内容的解释。本规范在执行过程中，如有意见和建议，请将有关资料寄送建材成都地质工程勘察院(地址：四川省成都市成华区龙潭工业园航天路36号1栋310；邮政编码：610052)。

本规范主编单位、参编单位、参加单位、主要起草人和主要审查人：

主编单位： 建材成都地质工程勘察院
沈阳建材地质工程勘察院

参编单位： 北京华星勘查新技术公司
河南建材地质工程勘察院
中国建筑材料工业地质勘查中心湖北总队
浙江建材测绘院
建材广州地质工程勘察院

苏州开普岩土工程有限公司
西安建材地质工程勘察院
中国建筑材料工业地质勘查中心河北总队
中国建筑材料工业地质勘查中心贵州总队
中国建筑材料工业地质勘查中心安徽总队
中国建筑材料工业地质勘查中心湖南总队
中国建筑材料工业地质勘查中心广西总队
山东建材勘察测绘研究院
中国建筑材料工业地质勘查中心山西总队
中国建筑材料工业地质勘查中心江西总队
中国建筑材料工业地质勘查中心宁夏总队
建材昆明地质工程勘察院
天水三和数码测绘院

参 加 单 位： 中国建筑材料工业地质勘查中心
中国建筑材料工业地质勘查中心四川总队
中国建筑材料工业地质勘查中心辽宁总队
福建广闽建设工程有限公司

主要起草人： 孙铁钢　宋春振　刘　俊　杜荣库　余小燕
刘文朝　顾晓林　吴汉志　金国胜　柳家友
陈浩光　王志超　王金勇　赵志翔　刘佳祥
刘立新　杨文雅　孔晓峰　刘　博　远国义
丁忠安　钟志平　李九玲　吕志伸　王　建
熊开民　庄宏坤　宋　凯　王　洪　曹佃龙
骆新民　王祥超　蒋晓静　王　忠

主要审查人： 陈正国　施敬林　李　峰　黄东方　张宗清
谢　东　刘晓理　郭　定　马元海　秦岩宾
蒋　琪

目　　次

Contents

1 总 则

1.0.1 为统一建材矿山工程测量的技术要求，做到技术先进、保证质量、安全适用、经济合理，制定本规范。

1.0.2 本规范适用于建材矿山工程建设和生产运营期间的测量工作。

1.0.3 建材矿山工程建设和生产运营期间应进行工程测量。

1.0.4 建材矿山工程测量技术除应符合本规范的规定外，尚应符合国家现行有关标准的规定。

2 术 语

2.0.1 设计测量 survey in design phase

建材矿山工程建设在设计阶段所需测量工作的统称。

2.0.2 施工测量 survey in construction phase

建材矿山工程建设在施工阶段所需测量工作的统称。

2.0.3 生产运营测量 survey in production operation phase

建材矿山在生产运营阶段所需测量工作的统称。

2.0.4 全球导航卫星系统 global navigation satellite system

所有在轨工作的卫星导航系统的总称，简称 GNSS。

3 基本规定

3.0.1 建材矿山工程测量宜分为设计测量、施工测量和生产运营测量。

3.0.2 建材矿山工程根据采矿方式可分为露天采矿工程和地下采矿工程。

3.0.3 建材矿山工程分类应按表3.0.3的规定确定。

表3.0.3 建材矿山工程分类

工程类别	工程内容
普通建筑工程	附属厂房、公共建筑等
一般工程	土(石)方工程;场地平整工程;基坑、基槽、管沟工程;电力供应及排水系统
采矿场工程	采准剥离工程;竖井工程;巷道工程;贯通工程;天井、溜井、硐室;竖井井筒装备安装和井架、井塔施工
开拓运输及破碎输送工程	矿山道路;带式输送机、运矿索道
废石场工程、尾矿库工程	拦挡坝工程

3.0.4 建材矿山工程建设规模根据矿石年开采量可分为大型、中型和小型。

3.0.5 矿山工程控制测量应采用2000国家大地坐标系统，特殊情况也可根据实际情况选用其他坐标系统。

3.0.6 矿山工程控制测量成果数字取位要求应符合表3.0.6的规定。

表3.0.6 控制测量成果数字取位要求

角度(″)	长度(m)	坐标(m)
1	0.001	0.001

3.0.7 地面平面控制测量应符合下列规定：

1 测区地面各等级平面控制网宜采用全球导航卫星系统(GNSS)定位测量和电磁波测距导线测量；

2 静态GNSS定位测量应符合现行国家标准《工程测量规范》GB 50026的有关规定；动态GNSS定位测量应符合现行行业标准《全球定位系统实时动态测量(RTK)技术规范》CH/T 2009的规定；

3 电磁波测距导线测量应符合现行国家标准《工程测量规范》GB 50026的有关规定；

4 无特殊要求时，测区首级平面控制网的精度等级应符合表3.0.7的规定；

表3.0.7 测区首级平面控制网的精度等级

矿山工程建设规模	测区首级平面控制网的精度等级	
	静态GNSS定位测量	电磁波测距导线测量
大型	不低于四等	不低于四等
中型、小型	不低于一级	不低于一级

5 测区内平面控制测量投影长度变形值不应大于2.5cm/km。

3.0.8 地面高程控制测量应符合下列规定：

1 测区地面首级高程控制网宜采用水准测量、电磁波测距三角高程测量和GNSS拟合高程测量，并应符合现行国家标准《工程测量规范》GB 50026的有关规定；

2 电磁波测距三角高程测量和GNSS拟合高程测量宜与平面控制同线路进行；

3 无特殊要求时，测区地面首级高程控制网的精度等级应符合表3.0.8的规定；

表3.0.8 测区地面首级高程控制网的精度等级

矿山工程建设规模	测区地面首级高程控制网的精度等级		
	水准测量	电磁波测距三角高程测量	GNSS拟合高程测量
大型	不低于四等	不低于四等	—
中型、小型	不低于五等	不低于五等	不低于五等水准测量的精度要求

4 高程控制点的间距宜控制在1km～3km之间，但一个测区及周围至少应有3个高程控制点。

3.0.9 各等级平面和高程控制点应埋设固定标石。点位在基岩露头区可采用凿石制点，点位在非基岩露头区可埋设普通标石或采用混凝土现场浇注。标石应稳定且易于长期保存。标石规格宜按现行国家标准《工程测量规范》GB 50026的有关规定执行。

3.0.10 井下平面控制测量应符合本规范附录A的规定，井下高程控制测量应符合本规范附录B的规定。

3.0.11 地形图测量应符合下列规定：

1 地形图比例尺选用宜按表3.0.11-1的规定确定；

表3.0.11-1 地形图比例尺选用

比例尺	适用范围
1:2000	初步设计、施工图设计、竣工、生产运营、闭坑
1:1000	施工图设计、竣工、生产运营、闭坑
1:500	施工图设计、竣工、生产运营、闭坑

2 地形图的分幅、编号应符合现行国家标准《工程测量规范》GB 50026的有关规定；

3 地形类别划分应根据图幅范围内绝大部分的地面倾角α按表3.0.11-2的规定确定；

表3.0.11-2 地形类别划分

地形类别	平坦地	丘陵地	山地	高山地
地面倾角	$\alpha<2°$	$2°\leqslant\alpha\leqslant6°$	$6°<\alpha\leqslant25°$	$\alpha>25°$

4 地形图基本等高距的选用应按表3.0.11-3的规定确定；

表3.0.11-3 地形图基本等高距(m)

地形类别	比例尺		
	1:500	1:1000	1:2000
平坦地	0.5	0.5	1
丘陵地	0.5	1	2
山地	1	1	2
高山地	1	2	2

注：一个测区同一比例尺，应采用一种基本等高距。

5 图根平面控制测量、地形图测绘方法与技术要求、纸质地形图数字化、数字高程模型、地形图的修测与编绘应符合现行国家标准《工程测量规范》GB 50026 的有关规定；

6 当采用摄影测量法成图时，应符合现行国家标准《工程摄影测量规范》GB 50167 的有关规定；

7 地形图图式应符合现行国家标准《1∶500、1∶1000、1∶2000 地形图图式》GB/T 7929 的有关规定；

8 地形图要素分类代码应符合现行国家标准《1∶500、1∶1000、1∶2000 地形图要素分类与代码》GB 14804 的有关规定；

9 数字地形图测量软件应符合下列规定：

1) 软件应适合矿山工程测量作业特点，满足本规范的精度要求；

2) 软件应功能齐全、符号规范、界面友好、操作简便；

3) 软件应采用常用的数据、图形输出格式；

4) 对软件特有的线型、汉字、符号，应提供相应的字库文件；

5) 软件应具有用户开发功能和网络共享功能。

10 图形输出设备应满足大比例成图精度要求；

11 地形图应经过内业检查、实地全面对照和散点实测检查。质检方法及技术要求应符合现行行业标准《1∶500、1∶1000、1∶2000 地形图质量检验技术规程》CH/T 1020 的有关规定；

12 数字成图应提交成果说明文件、数据采集原始数据文件、图根点成果文件、碎部点成果文件、地形图成果文件；图形文件与相关的数据文件应一一对应，文件的格式宜与国家标准统一或便于相互转换，并应便于显示、编辑和输出。

3.0.12 测量工作开始前应根据任务要求编写技术设计。技术设计的编写要求应符合本规范附录 C 的规定。

3.0.13 各类测量仪器、工具应定期检定，并应在有效期内使用。测量工作前应对仪器、工具进行检验和校正。

3.0.14 测量成果资料应进行检查和验算，合格后方可使用。

3.0.15 测量最终成果应同时有电子版成果数据和纸质成果资料。

3.0.16 在符合本规范要求的前提下，宜采用经过鉴定且行之有效的新技术、新方法获取测量成果。

3.0.17 建材矿山现场进行测量作业时，应遵守矿山工程建设安全管理制度。

4 设计测量

4.1 一般规定

4.1.1 设计测量应在指定区域内为矿山工程设计提供基础成果。

4.1.2 测量前应收集可行性研究报告、矿产地质勘查报告、可供利用的地形图、卫星遥感影像资料、最新交通图和各类等级控制点资料。

4.1.3 设计测量应充分利用矿产地质勘查成果等已有相关测量成果。

4.1.4 已有测量成果坐标系统符合本规范要求的，经检核后可直接利用；不符合本规范要求的，应进行相应的联测或转换，并经检核后方可利用。

4.1.5 已有地形图成果符合本规范第3章规定，且修测面积不超过原图总面积20%的可进行修测，否则应进行重测。

4.2 地形测量

4.2.1 地形测量前应根据实际情况进行控制网加密或直接布设图根控制。加密控制测量应按本规范第3.0.7条～第3.0.9条的规定执行。

4.2.2 地形测量应符合本规范第3.0.11条的规定。

4.2.3 线路带状地形图，可按小一级比例尺地形图的规定进行测绘，也可利用同等比例尺或小一级比例尺的地形图编制；沿线变化较大的地物、地貌应予以修测。

4.2.4 地形要素取舍可根据工程需要和委托方要求确定。

4.2.5 局部施测大于1∶500比例尺的地形图，可按1∶500地形图测量的要求进行测量。

4.3 定位测量和断面测量

4.3.1 工程地质勘探点、勘探线的定测和放线测量宜采用极坐标法、边角交会法、全球导航卫星系统(GNSS)测量等方法，且勘探点、勘探线端点定测的点位中误差、高程中误差不应超过3cm。

4.3.2 带式输送机或运矿索道等重要运输线路的断面测量、中线测量、曲线测设应符合现行国家标准《工程测量规范》GB 50026的有关规定。

4.4 设计测量成果

4.4.1 设计测量应提交测量成果报告，测量成果报告应包括下列内容：

1 测区平面和高程控制点成果表、展点图；

2 测区地形图；

3 局部复杂地段大比例尺地形图；

4 运输线路断面图；

5 工程地质勘探点、勘探线测量成果。

4.4.2 采用航空摄影测量方法时应提交正射影像图、数字高程模型等成果。

5 施 工 测 量

5.1 一 般 规 定

5.1.1 地面工程施工前应在施工区布设施工控制网。平面和高程控制基准点应设立可长久保存的点位标石。

5.1.2 地面、井下施工控制测量应采用统一的平面坐标系统和高程基准。通往地面的井巷宜进行联系测量。

5.1.3 测区已有控制网满足施工测量要求时,可不再单独布设施工控制网。

5.1.4 地面施工控制网布设应符合本规范第3.0.7条~第3.0.9条和现行国家标准《工程测量规范》GB 50026的有关规定。

5.1.5 施工测量前应验算与测量有关的数据,并应核对设计图上的平面坐标系统、高程基准和几何关系。

5.1.6 施工测量时应根据施工计划现场测量和校核工程的平面位置、底板标高、边坡坡度等设计指标。

5.1.7 施工用的基准点应至少每月复核1次。

5.1.8 施工中的变形监测应符合现行国家标准《工程测量规范》GB 50026的有关规定。

5.1.9 普通建筑工程的施工测量应符合现行国家标准《工程测量规范》GB 50026的有关规定。

5.2 一般工程的施工测量

5.2.1 土(石)方工程的施工测量应符合下列规定:

1 土(石)方工程施工前,应根据工程特点和要求,采用横断面法、方格网法等分别计算填方和挖方的工程量;

2 土(石)方工程量进行核实和平衡调配计算应符合现行国

家标准《建材矿山工程施工与验收规范》GB 50842 的有关规定；

3 土(石)方工程施工中，监测临时排水沟、截水沟的施工质量应符合现行国家标准《建材矿山工程施工与验收规范》GB 50842 的有关规定；

4 土(石)方工程竣工后，应测绘土(石)方工程竣工图。

5.2.2 场地平整工程的施工测量应符合下列规定：

1 场地平整工程施工前，应按工程施工计划完成工程放线工作，并应按设计要求标出挖填高度、场地边线；

2 场地平整工程施工过程中，测量和校核平面位置、底面标高和边坡坡度，场地的长度、宽度、边坡坡度、标高等工程数据应符合现行国家标准《建材矿山工程施工与验收规范》GB 50842 的有关规定；

3 边坡加固后应设置边坡监测点进行变形监测；

4 场地平整工程竣工后应测绘场地平整工程竣工图。

5.2.3 基坑、基槽、管沟工程的施工测量应符合下列规定：

1 基坑、基槽、管沟工程开挖前，制定监测方案应符合现行国家标准《建筑基坑工程监测技术规范》GB 50497 的有关规定；

2 基坑、基槽、管沟工程的开挖过程中应随时监测；基底预留的人工清理层厚度、超深值、断面尺寸、坡面坡度、铺砌厚度等指标应符合现行国家标准《建材矿山工程施工与验收规范》GB 50842 的有关规定；

3 基坑、基槽、管沟工程竣工后应测绘基坑、基槽、管沟工程竣工图。

5.2.4 电力供应及排水系统工程的施工测量应符合下列规定：

1 应现场测设线路中心线，标定转向点和转向角，并应根据地形情况和架杆间距离，定出架杆位置桩并注明里程和编号；

2 应测量各线路的纵、横断面图；

3 应按设计要求测量线路两侧的建(构)筑物、地形以及空间交叉跨越的位置、交角和高度等；

4 建(构)筑物地下电缆、管路和排水沟等工程施工时应现场测设中心线，测绘纵、横断面图，并应在施工边桩上标记出开挖深度。电缆（或管路）敷设完毕后、封盖前，应进行纵断面和主要节点位置的测量，并绘制成图。

5.3 采矿场工程的施工测量

5.3.1 采准剥离工程的施工测量应符合下列规定：

1 采准剥离工程施工前，应按工程施工计划复核地形图，并应进行采准剥离工程施工所需的平面及高程控制测量；

2 采准剥离工程施工中，监测采准剥离平台的标高、边坡坡度、边坡底线应符合现行国家标准《建材矿山工程施工与验收规范》GB 50842 的有关规定；

3 采准剥离工程竣工后，应测绘采准剥离工程竣工图。

5.3.2 竖井工程的施工测量应符合下列规定：

1 竖井施工前，应依据工程施工计划和竖井工程设计图进行施工放样；

2 竖井井筒中心和十字中心线的测定、竖井施工测量应符合现行国家标准《冶金工程测量规范》GB 50995 的有关规定；

3 竖井施工中应及时绘制实测导线图和纵向剖面图；

4 竖井工程竣工后应实测井筒纵横断面图、硐室平面及位置图、井底车场布置图、线路坡度图等竣工图。竣工图上应反映井筒中心坐标、井口标高、井筒深度及与井筒连接的各巷道口和主要硐室的标高和方位。

5.3.3 巷道工程的施工测量应符合下列规定：

1 巷道工程施工测量应符合现行国家标准《冶金工程测量规范》GB 50995 的有关规定；

2 巷道沿斜坡矿层顶板或底板的施工，当能满足设计要求时，倾斜巷道可只挂中线，水平巷道可只挂腰线；

3 用钻爆法开凿对穿、斜交、立交巷道时，应准确测量巷道工程图；

4 巷道施工竣工后应实测平面图、断面图，并应编制井上、井下对照图。

5.3.4 贯通工程的施工测量应符合下列规定：

1 贯通工程测量前，应编制贯通工程测量设计，并应符合下列规定：

1）贯通工程测量设计应根据贯通工程精度和施工的要求，预计贯通点的误差，预计误差宜为中误差的2倍；

2）贯通工程测量设计应按施工设计要求制定测设方案、选择测量仪器设备和工具、确定测量方法和贯通限差要求；

3）贯通工程测量设计应绘制贯通工程控制测量设计图，比例尺不宜小于1:2000；

4）当预计误差值超过允许偏差时，应利用陀螺定向和光电测距等技术提高测量精度；

5）贯通工程测量设计书应报审。

2 贯通工程施测应符合测量设计要求；在实测过程中应随时评定实测精度，不能满足设计要求时应再次测量；

3 贯通工程测量应进行导线测量，边长归化到投影水准面的改正和投影到高斯-克吕格平面的改正；当导线通过倾斜巷道时，应进行测量仪器竖轴的倾斜改正；

4 贯通工程测量导线的最后3个测站应牢固，且最后一次标定贯通方向时，两个相向工作面间的距离应大于50m；计算贯通的方向和距离时可采用各次测量结果的算术平均值或加权平均值；

5 贯通工程施工过程中，应及时填绘贯通工程进度图反应工程进展情况，比例尺不宜小于1:2000；

6 贯通后应在贯通点处测量贯通实际偏差值，并应联测两端导线，计算各项闭合差。贯通工程测量完成后，还应进行精度分析，并作出总结。

5.3.5 天井、溜井和硐室的施工测量应符合下列规定：

1 施工前，应依据工程施工计划和工程设计图纸进行施工放样；

2 采用普通法施工时应每掘进5m后校核1次中心线，对斜溜井还应挂设腰线；

3 井筒中心坐标、井口标高、与井筒连接的各水平运输巷道和主要硐室的标高、井筒深度、井筒内径等测量指标应符合设计要求；

4 施工完成后，应实测绘制井筒纵横断面图、硐室平面及位置图、井底车场布置图、线路坡度图等竣工图，竣工图上应反映井筒中心坐标、井口标高、井筒深度等数据。

5.3.6 竖井井筒装备安装、井架和井塔的施工测量应符合下列规定：

1 竖井井筒中心和十字中心线的测定、竖井施工测量、罐道梁安装测量、井架和井塔施工测量及附属设备安装测量应符合现行国家标准《冶金工程测量规范》GB 50995的有关规定；

2 井筒装备安装、井架和井塔施工竣工后应实测绘制竣工图。

5.3.7 矿井联系测量应符合下列规定：

1 联系测量工作前应编制施测方案；

2 联系测量工作应由项目部测量技术负责人统一指挥；

3 联系测量应至少独立进行2次，在互差不超过限差时，应采用加权平均值或算术平均值作为测量成果；

4 近井点测量、一井定向、两井定向、陀螺仪定向、高程联系测量应符合现行国家标准《冶金工程测量规范》GB 50995的有关规定。

5.4 开拓运输及破碎输送工程的施工测量

5.4.1 矿山铁路、公路等道路工程的施工测量应符合下列规定：

1 矿山道路工程所需的控制测量、线路的定测与放线测量、中线桩定测与复测、横断面测量等技术要求应符合本规范第3.0.7条～第3.0.9条的规定，并应符合现行国家标准《工程测量规范》GB 50026的有关规定；

2 矿山道路工程所需的线路测图比例尺应符合本规范表3.0.11-1的规定；

3 矿山道路工程施工过程中测量控制点标志无法保留时应设置保护桩，将控制点移至不易被破坏的地点；

4 矿山道路工程施工过程中应进行监测，路基、路槽、边沟、路肩、涵洞、挡土墙及护坡的施工偏差应符合现行国家标准《建材矿山工程施工与验收规范》GB 50842的有关规定；

5 矿山道路工程竣工后，应测绘路基工程竣工图。

5.4.2 带式输送机、运矿索道的施工测量应符合现行国家标准《工程测量规范》GB 50026的有关规定。

5.5 废石场工程和尾矿库工程的施工测量

5.5.1 废石场和尾矿库拦挡坝工程的施工控制测量应符合下列规定：

1 三等以上精度的控制网点及坝轴线标志点，应设置强制归心观测墩；

2 在坝轴线两端、坝体以外，不受施工、滑坡或爆破等影响的适当地点，应设置永久性标石，并应标明桩号、架设标架；

3 拦挡坝的首级控制网精度和坝轴线、副线精度要求应符合表5.5.1的规定；

表5.5.1 拦挡坝的首级控制网精度和坝轴线、副线精度要求

坝体长度	坝体等级	首级控制网精度	坝轴线、副线精度
≥500m	1、2级	平面控制等级不应低于三等；高程控制等级不应低于三等水准	平面精度不应低于四等平面控制测量精度要求；高程精度不应低于四等水准测量精度要求

续表 5.5.1

坝体长度	坝体等级	首级控制网精度	坝轴线、副线精度
<500m	1、2、3 级	平面控制等级不应低于四等；高程控制等级不应低于四等水准	平面精度不应低于一级平面控制测量精度要求；高程精度不应低于五等水准测量精度要求
	4、5 级	平面控制等级不应低于一级；高程控制等级不应低于五等水准	—

注：当采用其他测量方式施测首级控制网和坝轴线、副线时，测量精度指标应与本表规定相当。

4 平面控制测量宜采用全球导航卫星系统(GNSS)测量或电磁波测距导线测量；

5 四、五等水准测量可采用电磁波测距三角高程测量代替，五等水准也可采用 GNSS 拟合高程测量代替；

6 各等级控制网主要技术要求应符合现行国家标准《工程测量规范》GB 50026 的有关规定；

7 坝体周围设置的平面和高程控制点测量应符合下列规定：

1)应分别编号并绘制控制网分布图；

2)控制点应妥善保护、定期校核，每年应复测 1 次或 2 次；

3)当标桩被破坏、丢失时，应立即补设；

4)当坝区遭受烈度为 5 度以上地震时，应对全测区的控制点进行全面校测，校测时应沿用原有编号，不得任意修改。

8 坝区平面和高程控制点的布设应符合下列规定：

1)各控制点应设在建筑物轮廓线以外，不得妨碍施工，引测应方便；

2)各控制点宜设在不会被水淹没的基岩、平地或平缓的坡地；

3)各控制点宜设在不受爆破、开挖施工影响和不发生崩塌、无岩溶影响、不易风化破碎的岩石地带；

4)各控制点宜设在没有发生隆起、沉降、蠕变和不受冻融影响的土层。

5.5.2 拦挡坝施工期间所有施工定线、进度、工程量、竣工等测量原始记录、计算成果和绘制的图表，以及隐蔽工程的资料，均应及时整理、校核、分类、整编成册并妥善保存。

5.5.3 拦挡坝的变形监测宜按现行国家标准《冶金工程测量规范》GB 50995 的有关规定执行。

5.6 竣工总图的编绘与实测

5.6.1 矿山工程项目竣工后，应编绘或实测竣工总图。

5.6.2 矿山工程竣工总图应包括矿区地形图、工业广场平面图、井底车场平面图、采掘工程平面图、主要巷道平面图、井上井下对照图、井筒断面图。

5.6.3 竣工总图的编绘或实测应符合现行国家标准《工程测量规范》GB 50026 的有关规定。

6 生产运营测量

6.1 一般规定

6.1.1 生产运营测量应包括开采现状测量、采矿场边坡监测、重要工程监测、地下采空区地面位移监测、矿山闭坑现状测量。

6.1.2 生产运营测量可利用测区内已有的等级控制网或施工控制网成果，也可按需加密或补充控制网。加密或补充控制网应符合本规范第3.0.7条～第3.0.9条的规定，并应符合现行国家标准《工程测量规范》GB 50026的有关规定。

6.1.3 监测基准网的建立应符合现行国家标准《工程测量规范》GB 50026的有关规定。

6.1.4 各类监测工作结束后应编写监测报告。

6.2 开采现状测量

6.2.1 开采现状测量应按国家矿产资源管理的有关要求进行，并应绘制成图。

6.2.2 开采现状测量应包括下列内容：

1 测量采场的轮廓及矿界；

2 绘制采场平面图、断面图。

6.2.3 采矿场爆破工程测量、采剥矿岩量验收测量、贮矿验收测量宜按现行国家标准《冶金工程测量规范》GB 50995的有关规定执行。

6.2.4 废石场和尾矿库应至少每月进行1次现状地形测量，并应根据工程设计需要做不定期的局部测量。

6.2.5 井下采区测量应包括采区内的联系测量、次要巷道测量、回采工作面、各种碎部测量和井下采区采掘验收测量。

6.2.6 采区内的定向测量应以采区控制导线为基础，采用下列方法之一进行：

1 应通过两个竖直巷道定向；

2 通过一个竖直巷道定向，可采用双垂线瞄直法、三角形连接法，但两根垂线间的距离不应小于 0.5m；

3 通过倾斜或急倾斜巷道，宜采用光电测距导线。条件不允许时，可采用斜线辅助垂球法、牵制垂线法。

6.2.7 采区内定向测量的测角、量边应按采区控制导线的要求进行，两次定向结果之差不应超过 14′。

6.2.8 采区内通过竖直巷道导入高程，当采用钢尺法进行时两次导入高程之差不应大于 5cm；当采用激光测距法进行时两次导入高程之差不应大于 1cm。

6.2.9 在采区次要巷道中，为填图敷设的碎部导线，应以采区控制导线为基础，力求敷设成闭合或附合导线。

6.2.10 用罗盘仪在没有磁性物质影响的地方敷设碎部导线，应符合下列规定：

1 导线边长应小于 20m，导线最弱点距起始点不宜超过 200m，相对闭合差不应大于 1/200；

2 磁方位角应在导线边的两端各测 1 次，两次之差不应大于 2°；

3 导线边的倾斜角，可用悬挂半圆仪测定，高程相对闭合差不应超过 1/300；

4 边长可用检查过的皮尺丈量，读至厘米。

6.2.11 回采工作面每月的测量次数，应能满足生产和回采率计算的要求，至少应测出工作面月末位置。

6.2.12 回采工作面测量应以导线点为基础，采用的仪器、工具和施测方法应能保证测量工作面长度和进度的相对误差不超过 1/200。

6.2.13 测量回采工作面时，还应测出充填区和矿柱的位置、矿层厚度和采高等数据。

6.2.14 井下碎部测量可采用支距法、极坐标法或交会法等方法进行。

6.2.15 井下采区采掘验收测量宜按现行国家标准《冶金工程测量规范》GB 50995 的有关规定执行。

6.3 采矿场边坡监测

6.3.1 采矿场边坡监测周期应根据采矿场工程的级别、设计要求和水文、气象、地形、地质地貌、建筑物结构及布局、基坑深度、开挖断面和施工方法等因素综合确定。

6.3.2 采矿场边坡监测方法、监测内容及精度要求，应符合现行国家标准《工程测量规范》GB 50026 的有关规定。

6.3.3 每次监测工作结束后应完成野外观测资料的整理与分析。资料的整理与分析工作应包括下列内容：

1 检查野外作业观测手簿；

2 计算相邻点间的水平距离在观测线方向上的投影长度和所有观测点的高程；

3 按观测线计算各种移动与变形；

4 绘制观测区域地形图、观测线垂直下沉曲线图、观测点水平移动与水平变形曲线图、观测点在垂面内的移动向量图；

5 当边坡上个别地区发生滑坡后，需绘制滑落体平面图与断面图，比例尺为 1∶200、1∶500 或 1∶1000，并编写监测工作小结。

6.4 重要工程的监测

6.4.1 矿山大型建(构)筑物、带式输送机、运矿索道、废石场和尾矿库拦挡坝等重要工程在运营期间，应进行变形监测。

6.4.2 矿山重要工程变形监测项目，应符合现行国家标准《工程测量规范》GB 50026 的有关规定。

6.5 地下采空区地面位移监测

6.5.1 地下开采时应进行采空区的地面位移监测。

6.5.2 地面位移监测点宜设置成直线，并宜与矿层走向垂直或平行；在受地面建(构)筑物设施限制的情况下，也可设成折线。

6.5.3 地面位移监测的工作基点和监测点的埋设应符合下列规定：

1 非冻土地区埋设深度不应小于0.6m；冻土地区测点的底面宜设在冻结线0.5m以下；

2 点位标石应采用现场浇注式或混凝土预制件；

3 当地表至冻结线下0.5m内有含水层时，宜采用钢管式桩点；

4 点位在基岩露头区可采用凿石制点；

5 监测点应便于观测和保存。

6.5.4 工作基点和监测点应在点位标石埋设稳定后再进行观测。

6.5.5 地表水平位移监测应按四等电磁波测距导线的精度要求进行，垂直位移监测应按二等水准的精度要求进行。

6.5.6 在地表移动的初始期和衰退期，可根据开采深度、回采工作面推进速度和顶板岩性等具体条件，每隔1个月～3个月进行1次位移监测。在地表移动活跃期，每月不应少于3次位移监测。

6.5.7 进行监测时，对一条观测线上所有点的高程测量应按二等水准的精度要求进行，并应在1日内完成。

6.5.8 发现地表受地下开采影响而产生了裂缝和塌陷要素后应立即进行测量，并应在地表沉降、位移观测记录簿上注明发现日期。

6.5.9 每次观测工作结束后，应及时完成下列工作内容：

1 野外作业手簿检查；

2 观测点的高程计算；

3 相邻点间的水平距离在观测线方向上的投影长度计算；

4 各观测点的下沉值及水平移动值；

5 相邻观测点间的垂直变形与水平变形计算等。

6.5.10 每次观测求得的各观测点高程附合差和边长附合差，应进行近似平差，并应按平差结果计算各种移动和变形值。观测计算完成后，应按设计要求绘制移动与变形曲线及其他图标，地质断面图中应能清晰标示出地面沉降与位移曲线。

6.5.11 地表沉降和位移的主要参数和各种移动值的确定，应根据最后一次全面观测的结果进行。

6.5.12 一个观测站结束后应进行成果资料整理。多个观测站结束后，应综合分析、总结矿区地表沉降与位移的基本规律。

6.6 矿山闭坑现状测量

6.6.1 矿山闭坑应进行闭坑现状测量。

6.6.2 矿山闭坑现状测量的技术要求应符合本规范第3章的有关规定。

7 成果质量检查

7.0.1 成果质量检查应依据技术设计、测量任务书和委托验收文件等进行。

7.0.2 成果质量检查应实行过程检查和最终检查制度。过程检查和最终检查均应为100%的成果全面检查。

7.0.3 各级检查工作应独立、按顺序进行，不得省略、代替或颠倒顺序。

7.0.4 过程检查应包括各作业组在上交成果前的组内自查、组间互查和项目部检查。

7.0.5 组内自查应在作业当天进行，组间互查应在全面自查的基础上进行。一旦发现遗漏或错误，应立即补测或改正。

7.0.6 项目部检查应由测量单位作业部门的专(兼)职质量检查人员承担。当项目部检查中发现有不符合质量要求的产品时，应退回作业组进行整改。整改后应进行复查，直至检查合格为止。

7.0.7 最终检查应由测量单位的质量管理部门负责实施。当最终检查中发现有不符合质量要求的产品时，应退回项目部进行整改。整改后应进行复查，直至检查合格为止。

7.0.8 检查过程应填写检查记录。

7.0.9 提交最终检查的成果资料应包括下列内容：

1 技术设计；

2 各级平面及高程控制网(点)成果；

3 各类记录文档；

4 各类图形数据文件和输出的检查图件；

5 技术设计规定的其他文件资料。

7.0.10 最终检查完成后应编写成果质量检查报告，成果质量检查报告应包括下列内容：

1 质量检查工作概况；

2 受检成果概况；

3 质量检查内容及方法；

4 存在的主要问题及处理意见；

5 质量综述及质量统计；

6 质量检查结论；

7 附件。

8 成果报告编写与验收

8.1 一般规定

8.1.1 测量任务完成后,作业单位(或部门)应编写成果报告。

8.1.2 成果报告应为项目建设方合理使用成果提供方便。

8.1.3 成果报告应对测量技术设计文件和作业依据等执行情况、测量工作实施过程中出现的主要问题和处理方法、成果质量、新技术的应用等进行分析和总结,并应作出客观的描述和评价。

8.1.4 测量成果应实行验收制度。

8.2 成果报告的编写

8.2.1 成果报告应由概述、作业依据、测量工作实施、成果质量说明、提交测量成果及资料的清单五部分组成。

8.2.2 "概述"中应概要说明任务来源、测区概况、已有资料利用情况、工作目标、技术要求、完成的工作量等总体情况。

8.2.3 "作业依据"中应列出有关的技术标准、技术规范等内容。

8.2.4 "测量工作实施"可按技术设计的作业流程分章节编写,并应主要说明、评价测量作业依据的执行情况以及技术性更改情况,生产过程中出现的主要技术问题和处理方法,特殊情况的处理及达到的效果,新技术、新方法的应用情况,作业过程中的经验、教训、改进意见和建议等内容。

8.2.5 "成果质量说明"中应简要说明测量成果的质量控制情况和精度评价。

8.2.6 "提交测量成果及资料的清单"应包括下列内容:

1 各类控制网点分布图及控制点成果表;

2 测区各类地形图;

3　测区各类竣工图；

4　测区各类纵、横断面图；

5　各类工程点定位测量成果表；

6　各类测量原始记录；

7　其他应提交和归档的资料。

8.2.7　成果报告应符合下列规定：

1　内容应真实全面、突出重点、文理通顺、表达清楚、结论明确；

2　名词、术语、公式、符号、代号和计量单位应符合现行国家标准《工程测量规范》GB 50026 的有关规定；

3　成果报告的幅面、封面格式和字体、字号应符合现行行业标准《测绘技术总结编写规定》CH/T 1001 的有关规定。

8.3　成果提交

8.3.1　成果提交应分为向用户提交和归档提交两部分。向用户提交的成果资料应按任务书（或合同书）的规定执行，归档提交的成果资料应包括下列内容：

1　成果报告；

2　成果质量检查报告；

3　本规范第 8.2.6 条规定的全部成果资料；

4　下列测量原始记录资料：

1）各类地面控制测量和地形测量记录簿；

2）地面各项工程施工测量记录簿；

3）重要贯通工程测量记录簿；

4）地表及建（构）筑物的沉降、位移观测记录簿；

5）采剥、勘探、排水等测量记录簿；

6）近井点及井上下联系测量记录簿；

7）井筒十字中线及提升设备等的标定和检查记录簿；

8）井下导线及水准测量记录簿；

9）井下采区测量和井巷工程标定记录簿。

5　下列测量成果计算资料：

1）测区首级控制和加密点的计算资料和成果台账；

2）地形测量图根点及水准点的计算资料和成果台账；

3）各项工程施工测量专用计算台账；

4）采剥、勘探、排水等井巷测量计算台账；

5）近井点和井上下联系测量的计算资料和成果台账；

6）井下导线和水准测量计算资料和成果台账；

7）重要贯通工程测量的设计书及贯通测量的总结；

8）井筒中心、十字中线点，井下永久控制点和重要技术边界角点的平面坐标和高程、立井提升中线，斜井和平硐中心线的坐标方位角以及井筒深度和斜井坡度、长度等资料。

8.3.2　成果资料应完成保管与汇交。

8.3.3　各种测量成果资料应符合下列规定：

1　应便于长期保存；

2　应便于绘制和使用；

3　同一项目中各类图件的图幅应保持一致；

4　标准图幅应采用 50cm×50cm 分幅，非标准图幅不宜超过 100cm×180cm 分幅，有多幅图时应绘出图幅接合表。

8.3.4　各种测量原始记录簿应符合下列规定：

1　封面应有资料名称、编号、单位、日期；

2　目录应有标题及页码；

3　手工记录应清楚、工整，不得涂改，自动记录成果应采用 A4 纸张打印；

4　应绘出草图或工作过程中所需的略图。

8.3.5　各种内业计算簿及成果（台账）簿应符合下列规定：

1　封面应有资料名称、编号、单位、计算日期；

2　目录应有标题及页码；

3　手工计算成果应用蓝黑墨水和铅笔工整书写，电算成果应采用 A4 纸张打印；

4 重新计算或取消的部分应有说明；

5 应在备注栏内绘出必要的略图，并应注明引用资料或起算数据的由来，列出计算结果的各项闭合差。

8.3.6 所有测量记录簿、计算簿和成果台账等均应有相应责任人的签字，并应注明各项工作开始和完成的日期。

8.4 成果验收

8.4.1 验收工作应由项目甲方负责组织实施，也可由项目甲方委托具有检验资格的单位或机构验收。

8.4.2 测量单位应以书面形式向项目甲方提出验收申请。

8.4.3 验收工作应在测量成果经最终检查合格后进行。

8.4.4 提交验收时的成果资料应包括下列内容：

1 技术设计；

2 成果报告；

3 最终质量检查报告；

4 各类记录文档；

5 各类图形数据文件和输出的正式图件；

6 技术设计规定的其他文件资料。

8.4.5 凡资料不全或数据不完整者，验收方应拒绝验收。

8.4.6 验收方应随机抽取不低于被检验成果总量10％的样本进行验收。

8.4.7 验收中若发现有不符合技术依据规定的成果时，应及时提出处理意见，责成作业单位进行整改。当问题较多或性质严重时，可将部分或全部成果退回作业单位，整改合格后再进行验收。

8.4.8 经验收判为“批合格”的测量成果，作业单位应对验收中发现的问题进行整改，然后进行复查。经验收判为“批不合格”的测量成果，应将验收批成果全部退回作业单位进行返工。返工成果经作业单位过程检查和最总检查合格后方可再次申请验收。

8.4.9 再次验收时应按本规范第8.4.6条的规定重新抽取样本。

8.4.10 验收工作完成后,验收组应编写成果验收报告。成果验收报告经验收单位审核后,应随成果资料一并提交归档,并应抄送作业单位。成果验收报告应包括下列内容:

1 验收工作概况;

2 受验成果概况;

3 抽样情况;

4 验收内容及方法;

5 存在的主要问题及处理意见;

6 质量综述及样本质量统计;

7 验收结论;

8 附件。

附录A 井下平面控制测量

A.0.1 井下平面控制应分为基本控制和采区控制两类。

A.0.2 井下基本控制导线按测角精度应分为±7″和±15″两级，采区控制导线按测角精度应分为±15″和±30″两级。

A.0.3 井下基本控制导线的主要技术指标应符合表A.0.3的规定。

表A.0.3 井下基本控制导线的主要技术指标

矿区走向长度(km)	测角中误差(″)	一般边长(m)	导线全长相对闭合差	
			闭(附)合导线	复测支导线
≥7	±7	50～200	1/7000	1/5000
<7	±15	30～150	1/5000	1/3000

A.0.4 井下采区控制导线的主要技术指标应符合表A.0.4的规定。

表A.0.4 井下采区控制导线的主要技术指标

采区长度(km)	测角中误差(″)	一般边长(m)	导线全长相对闭合差	
			闭(附)合导线	复测支导线
≥1.5	±15	30～120	1/4000	1/3000
<1.5	±30	—	1/3000	1/2000

注：1 30″导线可作为小矿井的基本控制导线；

2 表中复测支导线相对闭合差计算中的导线长度采用两次施测导线之平均值。

A.0.5 井下基本控制导线应沿矿井主要巷道敷设。

A.0.6 井下采区控制导线应沿采区上、下山，中间巷道或片盘运输巷道以及其他次要巷道敷设。

A.0.7 在布设井下基本控制导线时，应每隔1.5km～2.0km加测陀螺定向边。7″和15″级基本控制导线的陀螺经纬仪定向精度不应低于±10″,15″级基本控制导线的陀螺经纬仪定向精度不应低于±15″。

A.0.8 已建立井下控制网的矿井,在条件允许时应用加测陀螺定向边的方法改建井下平面控制网。

A.0.9 井下平面控制测量的数字取位应符合本规范表3.0.6的规定。

A.0.10 井下导线点应分永久点和临时点两种。永久点应设在碹顶上或巷道顶底板的稳定岩石中,临时点可设在顶板岩石或牢固的棚梁上。所有测点应统一编号,并应将编号明显标记在测点附近。

A.0.11 永久导线点应设在矿井主要巷道中,并应每隔300m～500m设置1组,每组至少应有3个相邻点。

A.0.12 井下导线水平角观测所采用的仪器和作业要求应符合表A.0.12的规定。

表A.0.12 井下导线水平角观测所采用的仪器和作业要求

导线类别	使用仪器	观测方法	导线边长(水平边长)					
			15m以下		15m～30m		30m以上	
			观测次数	测回数	观测次数	测回数	观测次数	测回数
7″导线	2秒级全站仪	测回法	3	3	2	2	1	2
15″导线	6秒级全站仪	测回法或复测法	2	2	1	2	1	2
30″导线	6秒级全站仪	测回法或复测法	1	1	1	1	1	1

注:1 如不用表中所列的仪器,可根据仪器级别和测角精度要求适当增减测回数;

2 由一个测回转到下一个测回观测前,应将度盘位置进行适当变换;

3 多次对中时,每次对中测一个测回。若用固定在基座上的光学对中器进行点上对中,每次对中应将基座旋转360°/n。

A.0.13 倾角小于30°的井巷中,导线水平角的观测限差应符合表A.0.13的规定。

表 A.0.13 导线水平角的观测限差

仪器级别	同一测回中半测回互差	检验角与最终角之差	两测回间互差	两次对中测回(复测)间互差
2秒级全站仪	20″	—	12″	30″
6秒级全站仪	40″	40″	30″	60″

注:倾角大于30°的井巷中,各项限差可放宽为本表规定值的1.5倍。

A.0.14 在倾角大于15°或视线一边水平而另一边的倾角大于15°的主要井巷中,导线水平角宜用测回法观测。在观测过程中,水准气泡偏离不应超过一格,否则应整平后重测。

A.0.15 下井作业前,应对全站仪进行检验和校正。

A.0.16 测定气压应读至100Pa,气温应读到1℃。

A.0.17 导线边长观测的测回数不应少于2个。导线边长的观测限差应符合表A.0.17的规定。

表 A.0.17 导线边长的观测限差

一测回读数较差	测回间较差	往返观测改正后互差	不同时间观测改正后互差
≤10mm	≤15mm	≤1/6000	≤1/6000

A.0.18 倾斜巷道中测量边长时,观测垂直角的精度要求应符合表A.0.18的规定。

表 A.0.18 倾斜巷道中测量边长时,观测垂直角的精度要求

观测方法	2秒级全站仪			6秒级全站仪		
	测回数	垂直角互差	指标差互差	测回数	垂直角互差	指标差互差
对向观测(中丝法)	1	—	—	2	25″	25″
单向观测(中丝法)	2	15″	15″	3	25″	25″

A.0.19 基本控制导线宜每隔300m～500m延长1次。采区控

制导线应随巷道掘进每 30m～100m 延长 1 次。

A.0.20 在延长导线之前，应对上次所测量的最后一个水平角按相应的测角精度进行检查，两次观测水平角的较差应符合表 A.0.20 的规定。

表 A.0.20 两次观测水平角较差

7″导线	15″导线	30″导线
≤20″	≤40″	≤80″

A.0.21 井下平面导线控制测量的相对闭合差不超过本规范表 A.0.3 和表 A.0.4 的规定时，应进行平差计算和精度评定。

A.0.22 井下导线的坐标方位角闭合差不超过表 A.0.22 的规定时，可进行简易平差。

表 A.0.22 井下导线的坐标方位角闭合差

导线类别	最大闭合差		
	闭合导线	复测支导线	附合导线
7″导线	$\pm 14'' \sqrt{n}$	$\pm 14'' \sqrt{n_1 + n_2}$	$\pm 2\sqrt{m_{\alpha 1}^2 + m_{\alpha 2}^2 + n m_\beta^2}$
15″导线	$\pm 30'' \sqrt{n}$	$\pm 30'' \sqrt{n_1 + n_2}$	
30″导线	$\pm 60'' \sqrt{n}$	$\pm 60'' \sqrt{n_1 + n_2}$	

注：1 n 为闭(附)合导线的总站数；n_1、n_2 分别为复测支导线第一次和第二次测量的总站数；$m_{\alpha 1}$、$m_{\alpha 2}$ 分别为附合导线起始边和附合边的坐标方位角中误差；m_β 为导线测角中误差；

2 井下经纬仪导线如敷设成相互联系的多个导线环，可根据实际需要进行整体平差和精度评定。

附录B　井下高程控制测量

B.0.1　井下高程点和导线点的高程，在主要水平巷道中，应用水准测量方法确定。其他巷道中可根据具体情况采用水准测量或三角高程测量方法确定。水准测量应使用精度不低于DS3级的水准仪配合普通水准尺进行。

B.0.2　井下高程点应设在巷道顶、底板或两帮的稳定岩石中、碹体上或井下永久固定设备的基础上。井下高程点也可与井下导线点同点位布设。所有高程点都应统一编号，并应将编号明显地标记在点的附近。

B.0.3　高程点宜每隔300m～500m设置1组。每组至少应由3个高程点组成，两个高程点间的距离宜为30m～80m。

B.0.4　井下每组水准点间高差应采用往返测量的方法确定，往返测量高差的较差不应大于$\pm 50\text{mm}\sqrt{L}$，其中L为水准点间的路线长度，单位为km。条件允许时可布设成水准环线，水准环线的闭合差不应大于$\pm 50\text{mm}\sqrt{L}$，其中L为水准环线的总长度，单位为km。

B.0.5　相邻两点间的高差，应使用分两次架设仪器的方法观测，两次测量结果之差不大于5mm时，应取平均值作为观测结果。

B.0.6　水准测量高差的较差或高程闭合差不超过限差时，应取往返观测的平均值或按测站数进行分配。

B.0.7　三角高程测量时，垂直角观测精度要求应符合本规范表A.0.18的规定。仪器高和觇标高应在观测开始前和结束后用钢尺各量1次。两次测量的互差不应大于4mm，应取两次测量结果的平均值作为测量结果。相邻两点往返测高差的互差不应大于$10\text{mm}+0.3\text{mm}\times D$，其中$D$为导线水平边长，单位为m。三角高程导线的高程闭合差不应大于$\pm 100\text{mm}\sqrt{L}$,其中 L 为导线长度，单位为 km。

B.0.8 三角高程闭合差可按导线边长成正比例分配。复测支导线最终点的高程应取两次测量结果的平均值。

B.0.9 井下高程控制测量的数字取位应按本规范表 3.0.6 的规定执行。

附录C　技术设计的编写要求

C.0.1　每个矿山工程测量项目作业前都应进行测量技术设计。工作量较小的项目，可根据需要简要编写。

C.0.2　技术设计应由具体承担相应测量专业任务的法人单位负责。

C.0.3　技术设计的编制应按策划、依据、结果、评审、验证、审批的程序进行。

C.0.4　技术设计人员应符合下列规定：

1　应具有相关的专业理论知识和生产实践经验，具备完成有关设计任务的能力；

2　应明确各项设计依据，了解、分析作业区的实际情况，收集类似设计内容执行的有关情况；

3　应了解本单位人员的技术能力，软、硬件装备情况等资源条件，掌握本单位的生产能力、生产质量状况等基本情况；

4　应对所设计内容负责，发现问题时应按有关程序及时处理。

C.0.5　技术设计基本原则应符合下列规定：

1　应满足项目甲方的要求；

2　应先整体而后局部，并应顾及远期发展；

3　在满足精度要求的前提下，应积极采用适用的新技术、新方法和新工艺；

4　应分析和利用已有的测量成果和资料。

C.0.6　技术设计的编写应符合下列规定：

1　内容明确，文字简练，对标准或规范引用恰当；

2　名词、术语、公式、符号、代号和计量单位等应符合要求；

3　技术设计的幅面、封面格式和字体应符合现行行业标准

《测绘技术设计规定》CH/T 1004 的有关规定。

C.0.7 技术设计实施前，承担设计任务的单位总工程师或技术负责人应对技术设计进行策划，并应对整个设计过程进行质量控制。

C.0.8 设计策划应根据需要决定是否进行设计验证。

C.0.9 编写技术设计文件前，应先确定设计依据。

C.0.10 设计依据应由技术设计负责人确定并形成书面文件，并由设计策划负责人或总工程师对其适宜性和充分性进行审核。

C.0.11 根据具体的测绘任务、测量专业活动要求，技术设计依据应包括下列内容：

1 使用的法律、法规；

2 适用的国际、国家或行业技术标准；

3 测量任务书或合同的有关要求，项目委托方书面（或口头）要求的记录，市场的需求或期望；

4 项目委托方提供（或本单位收集）的测区信息、测绘成果（或产品）资料及踏勘报告等；

5 技术设计必须满足的其他要求。

C.0.12 技术设计应包括概述、作业区自然地理概况与已有资料情况、作业依据、测量成果的主要技术指标和规格、施工组织方案等主要内容。

C.0.13 在技术设计提交前，作业单位应对技术设计文件进行评审和验证。

C.0.14 技术设计文件应报送项目甲方审批。

C.0.15 技术设计文件一经批准，不得随意更改。

本规范用词说明

1 为便于在执行本规范条文时区别对待，对要求严格程度不同的用词说明如下：

1）表示很严格，非这样做不可的：

正面词采用“必须”，反面词采用“严禁”；

2）表示严格，在正常情况下均应这样做的：

正面词采用“应”，反面词采用“不应”或“不得”；

3）表示允许稍有选择，在条件许可时首先应这样做的：

正面词采用“宜”，反面词采用“不宜”；

4）表示有选择，在一定条件下可以这样做的，采用“可”。

2 条文中指明应按其他有关标准执行的写法为：“应符合……的规定”或“应按……执行”。

引用标准名录

《工程测量规范》GB 50026

《工程摄影测量规范》GB 50167

《建筑基坑工程监测技术规范》GB 50497

《建材矿山工程施工与验收规范》GB 50842

《冶金工程测量规范》GB 50995

《1:500、1:1000、1:2000 地形图图式》GB/T 7929

《1:500、1:1000、1:2000 地形图要素分类与代码》GB 14804

《测绘技术总结编写规定》CH/T 1001

《测绘技术设计规定》CH/T 1004

《1:500、1:1000、1:2000 地形图质量检验技术规程》CH/T 1020

《全球定位系统实时动态测量(RTK)技术规范》CH/T 2009

中华人民共和国国家标准

建材矿山工程测量技术规范

GB/T 51178-2016

条 文 说 明

制 订 说 明

《建材矿山工程测量技术规范》GB/T 51178—2016，经住房城乡建设部2016年8月18日以第1278号公告批准发布。

本规范在编制过程中，编制组对我国建材矿山工程测量技术的现状以及今后发展的趋势进行了大量的调查研究，总结了我国建材矿山工程测量技术的实践经验。

为便于广大设计、施工、科研、学校等单位有关人员在使用本规范时能正确理解和执行条文规定，《建材矿山工程测量技术规范》编制组按章、节、条顺序编制了本规范的条文说明，对条文规定的目的、依据以及在执行过程中需注意的有关事项进行了说明和解释。但是，本条文说明不具备与规范正文同等的法律效力，仅供使用者作为理解和把握本规范规定的参考。

目　次

1 总　　则

1.0.1 本条明确了本规范制定的目的。本规范编制中以国家技术经济政策为依据，总结归纳了我国建材矿山工程在设计、施工、生产运营管理等阶段多年的经验，采用了经实践证明确实可行的国内外新技术。

本规范的编制参考并引用了现行国家标准《工程测量规范》GB 50026等国内有关标准中对测量工作的规定，并进行了分析对比，提出符合国情和建材矿山实际的条款。本规范的贯彻对提高我国建材矿山工程测量技术水平将起到促进和统一的作用。

1.0.2 本条明确了本规范的适用范围。包括建材矿山新建、改建和扩建工程中的初步设计、施工图设计、工程勘察、工程施工、生产运营及矿山闭坑后的所有测量工作。

1.0.3 工程测量是工程建设的先导，它既是矿山工程建设中必不可少的重要一环，同时又贯穿在整个矿山工程建设和生产运营过程之中，是矿山工程建设质量控制的有效手段。工程测量工作在保证工程质量、节约财力物力和保障施工进度等方面都起着十分重要的作用。

2 术　　语

2.0.1　设计测量包括矿山工程的初步设计阶段、施工图设计阶段及相应的工程勘察所需的控制测量、地形测量。

2.0.2　施工测量包括建材矿山工程施工时的控制测量、放样测量、安装测量、变形监测和竣工测量。

2.0.3　生产运营测量包括矿山开采和运营期间以及矿山闭坑阶段的控制测量、变形监测及现状地形测量等测量工作。

2.0.4　全球导航卫星系统(Global Navigation Satellite System)，简称GNSS。国际GNSS系统是个多系统、多层面、多模式的复杂组合系统，它是泛指包括全球的、区域的和增强的所有卫星导航系统，如中国的北斗卫星导航系统BDS、美国的GPS、俄罗斯的Glonass、欧洲的Galileo等卫星导航系统。

3 基本规定

3.0.2 露天采矿工程涉及地面控制测量和开展一般地面工程、露天采矿场工程、废石场工程、普通建筑工程所需的各类测量工作；地下采矿工程涉及地下控制测量和开展地下采矿场工程所需的各类测量工作。

3.0.3 本条所列的工程类型是指在建材矿山工程建设施工阶段的各类工程，并参考了现行国家标准《建材矿山工程施工与验收规范》GB 50842—2013 中的工程类型分类。

3.0.4 本规范采用的分类标准以国土资源部《关于调整部分矿种矿山生产建设规模标准的通知》（国土资发〔2004〕208 号）为准。本规范根据建材矿山不同的开采规模，对首级平面及高程控制网的最低等级作出了规定，详见本规范表 3.0.7、表 3.0.8 的规定。

3.0.5 国务院批准自 2008 年 7 月 1 日启用我国的地心坐标系——2000 国家大地坐标系统，过渡期 8 年～10 年，故本规范要求首选使用该系统。国土资源部办公厅《关于做好探矿权采矿权登记与矿业权实地核查工作衔接有关问题的通知》（国土资厅发〔2009〕54 号）的要求，自 2009 年 7 月 1 日起，划定矿区范围申请、新立采矿权登记申请及采矿权矿区范围变更登记申请，向国土资源部、各省（区、市）、市、县级国土资源行政主管部门申报的规定要件中，一律提交 1980 年西安坐标系的范围拐点坐标，高程采用 1985 国家高程基准。另外，根据《全国矿业权实地核查总体实施方案》的部署，2009 年 6 月 30 日前设置的有效矿业权范围统一采用 1980 年西安坐标系进行实地核查。故目前各类矿山已有的测量成果使用较多的是 1980 年西安坐标系和 1985 国家高程基准，少数矿山测量成果使用的是 1954 年北京坐标系和 1956 年黄海高程系。

3.0.7 本条对地面平面控制测量作出了规定。

1 平面控制测量的方法一般包括GNSS定位测量、电磁波测距导线测量、三角形网测量等。随着科学技术的发展，在建材矿山工程测量中，GNSS定位测量、电磁波测距导线测量已是平面控制测量的主要方法，三角形网测量已极少采用，故本规范未予推荐。

4 依据多年来各类矿山工程测量的经验总结，在矿山工程测量中根据测区范围和用途的不同，平面控制网的精度等级会有所不同。本款规定旨在要求大型矿山工程建设时，无论采用静态GNSS定位测量还是电磁波测距导线测量，布设的测区首级平面控制网的精度等级不低于四等的精度要求；中型、小型矿山工程建设时，布设的测区首级平面控制网的精度等级不低于一级的精度要求；有特殊要求时，相应的精度等级要求可以提高，但不能降低。

5 满足测区内长度投影所引起的变形值不应大于2.5cm/km，是建立或选择平面控制系统的前提条件。工程测量多年的实践经验表明，该指标已成为建立区域控制网的基本规定。

3.0.8 本条对地面高程控制测量作出了规定。

3 依据多年来各类矿山工程测量的经验总结，在矿山工程测量中根据测区范围和用途的不同，高程控制网的精度要求也会有所不同。本款规定旨在要求大型矿山工程建设时，无论采用水准测量、电磁波测距三角高程测量，还是采用GNSS拟合高程测量，布设的测区首级高程控制网的精度等级不低于四等水准的精度要求；中型、小型矿山工程建设时，布设的测区首级高程控制网的精度等级不低于五等水准的精度要求；有特殊要求时，相应的精度等级要求可以提高，但不能降低。

4 在一定范围内保持一定的高程点密度，便于作业过程中的使用和检核。一般地区点间距离1km～3km是各测量单位多年的工作经验总结，经济合理且满足使用需求。

3.0.9 矿山工程建设时的各类控制点埋石主要考虑满足工作需

要、简便易行且满足工程需要。矿山周围基岩露头区域较多，且很稳定，采用凿石制点较为恰当；在非基岩露头区只需埋设普通标石（只埋设单层柱石，不需要埋设盘石）或现场浇注，但柱石高度或浇注深度指标应根据实际情况略高于普通埋石要求。

3.0.11 本条对地形图测量作出了规定。

1 比例尺是地形测量的基本属性之一，也是用户对地形图精度和内容要求的反应。表中的比例尺，是根据设计和施工单位多年实践和经验总结确定的，基本能满足矿山建设各阶段的设计和施工要求。

6 地形测量工作方法的选择主要应考虑工期、精度、成本等因素；同时也应考虑地形、地物、植被、气象等因素。

11 建材矿山地形图的内业检查、实地的全面对照及散点实测检查等质检方法及技术要求与其他地形图要求是一致的，故本规范提出依据现行行业标准《1:500、1:1000、1:2000 地形图质量检验技术规程》CH/T 1020 的有关规定执行。

12 数据处理是数字地形图绘制的重要环节。数据处理软件通常与成图软件为一体，组成数字地形图绘制系统。其基本功能是将采集的数据传输至计算机，并将不同记录格式的数据进行转换、分类、计算、编辑，为图形处理提供必要的绘图信息和数据源。

3.0.12 系统的矿山工程建设一定离不开系统、全面的工程测量，要把系统、全面的工程测量工作做好就少不了专业的技术设计。本条规定旨在要求测量项目的承接单位在组织矿山工程测量生产作业前一定要先做足准备工作，现场踏勘并收集和分析有关测量资料，根据实际情况制定作业方案，确保测量工作顺利开展。按照 1997 年 7 月 22 日国家测绘局发布的《测绘生产质量管理规定》第三章第十四条规定：测绘任务的实施，应坚持先设计后生产，不允许边设计边生产，禁止没有设计进行生产。

3.0.13 测量仪器和工具应做到及时检定、校验，加强维护保养，使之处于良好状态，保证测绘产品质量。

3.0.14 本条规定所说的“测量成果”，是包含收集的测区已有各类测量成果、施工方提供的各类测量资料，以及本次测量的实测成果等所有可用成果资料在内。实践经验表明，任何资料在使用过程中都会有用错、记错、抄错的可能，在实际工作中使用前进行相应的精度检核是非常必要的。

3.0.15 为了满足成果的多用途需求、现场使用方便及存档备查等需要，成果资料应同时有电子版和纸质版。

3.0.16 随着科技发展，测量方面的新技术、新设备、新方法不断涌现，而相应的规范制订工作往往滞后。本条意在符合规范规定的前提下，提倡采用高新技术和先进方法，以提高建材矿山工程测量技术水平。

3.0.17 建材矿山工程测量作业区条件复杂，安全风险较大，现场作业时遵守矿山工程建设的各项安全管理制度，是防止安全事故发生、确保安全生产的前提。

4 设计测量

4.1 一般规定

4.1.2、4.1.3 矿山区域内的地形短期内变化一般不会很大，在地质矿产勘查阶段形成的控制测量、地形测量、地质勘查测量成果以及卫星遥感及航摄影像资料、最新交通图和国家或有关部门设立的三角点、GNSS定位点、导线点、水准点等资料一般都会有较高的利用价值。在设计测量时充分利用上述成果可有效节约成本、控制工期。

4.1.4 矿山区域已有的测量成果，因工作需要或测量作业时间不同等各种原因，坐标系统可能会与矿山设计测量要求不符，经过相应的联测或转换后，其成果精度又可以满足设计测量工作需要，即可在工作中予以利用。若坐标系统与设计测量工作要求一致，且精度也符合设计工作要求的成果资料则更应优先考虑利用。

4.1.5 对测区原有的地形测量成果，经过实地踏勘比对，需要进行修测的，及时确定修测范围，并制订修测方案。需修测的面积超过本规范规定的应进行重测。

4.2 地形测量

4.2.3 线路带状地形图主要作用是为设计、施工人员在图上进行矿山开拓运输及破碎输送工程和施工组织等的设计使用。由于矿山开拓运输及破碎输送工程设计要素和专题要素对地形精度要求不高，采取适当的取舍与概括，最大限度减轻图面负荷，使构图简明，性质区分明确，以突出专题要素为标准。如：1∶2000比例尺的地形测图按1∶5000比例尺的精度要求施测，或利用1∶5000比例尺的已有地形图放大编制1∶2000比例尺的地形图后使用。

4.2.4 不同项目的工作要求需求会有差异，有的项目委托方对地形图的要素取舍会有特殊要求，在满足工程需要和业主方要求时可以对地形要素进行适当取舍。

4.2.5 因工作需要可能会有局部区域要求实测1:100或1:200比例尺的地形图，因已有的各类技术规程、规范对1:100和1:200比例尺的地形图都没有明确规定，作业时一般都会参考1:500比例尺地形图要求进行测量。

4.3 定位测量和断面测量

4.3.1 设计阶段会进行相应的工程地质勘察工作，勘探点、勘探线的放样和定测精度要求都很高，故应采用专业测量手段进行较高精度的工程地质勘探点、勘探线测量工作，确保为工程设计提供准确、可靠的工程地质勘察成果。

4.3.2 矿山工程中一般都会有运矿需求，而运矿一般会采用带式输送机或运矿索道等运矿手段。纵断面图的主要用途是为了设计人员在图上就运输线路的纵向变化，确定基础施工的挖掘深度、挖（填）方测算等进行设计。当仅依赖纵断面图做纵向设计不能满足设计、施工要求时，还应辅以纵断面点成果表。

4.4 设计测量成果

4.4.1 本条规定的设计测量成果内容，是在综合考虑了各类建材矿山工程建设的实际设计需求的基础上提出的。

4.4.2 采用航空摄影测量技术生产的数字高程模型（DEM）、数字正射影像图（DOM）、数字线划图（DLG）和线路纵断面图，可用于矿山工程的初步设计与施工图设计。

5 施工测量

5.1 一般规定

5.1.1～5.1.3 施工控制测量是以满足施工需求为准。平面及高程控制基准点设立可长久保存的点位标石，可供工作中长期、多次反复使用，并满足地下控制网与地面控制网联测使用；地面、地下施工控制测量采用统一的平面坐标系统和高程基准，有利于设计和施工使用；当已有的控制网精度、控制点数量满足施工要求时，可不再单独布设施工控制网，以降低作业成本、缩短作业工期。

5.1.4 矿山地面施工控制网布设时作业方法、埋石等要求与测区地面控制网要求基本一致，但因施工控制网主要是为了施工时对已知坐标和边长使用方便，其精度要求、投影改算等与普通地面控制又有一定的不同，故本条规定还应按现行国家标准《工程测量规范》GB 50026 中施工控制测量的有关规定执行。

5.1.5～5.1.7 施工测量前、测量过程中对相关数据进行必要的核验可避免数据错误导致返工或影响施工质量，而在施工过程中因施工影响，施工用的基准点有可能会发生较大的位移和沉降，使用时定期复核也是非常必要的。

5.1.8 现行国家标准《工程测量规范》GB 50026 对工程的变形监测规定很详细，加上矿山建设地下工程涉及较少，本规范直接引用，不再另行规定。

5.1.9 地面普通建筑工程包括附属厂房，行政、福利建筑等建（构）筑物，其施工测量在现行国家标准《工程测量规范》GB 50026 中已有较为明确的规定，本规范不再另行规定。

5.2 一般工程的施工测量

5.2.1 本条对土（石）方工程的施工测量作出了规定。

2 在土方平衡调配中，应综合考虑土的可松性系数、压缩率等因素。土壤及岩石的分类应符合现行国家标准《建材矿山工程施工与验收规范》GB 50842—2013 附录 A 的规定，土的可松性系数、换算系数、压缩率应符合现行国家标准《建材矿山工程施工与验收规范》GB 50842—2013 附录 B 的规定；

3 现行国家标准《建材矿山工程施工与验收规范》GB 50842—2013中第 5.2.3 条规定：土（石）方工程中的临时排水沟的纵向坡度应根据地形确定，并不应小于 0.5%；水沟的边坡应根据土质和深度确定，宜为 1∶0.7～1∶1.5；水沟的横断面应为梯形，截面尺寸应根据施工期内可能遇到的最大流量确定，沟底宽度和深度不得小于 0.4m；临时截水沟距挖方边坡坡顶线的距离不应小于 3m。

5.2.2 本条对场地平整工程施工测量作出了规定。

2 现行国家标准《建材矿山工程施工与验收规范》GB 50842—2013中第 8 章规定：场地平整工程施工中应测量和校核场地平整工程的平面位置、底面标高和边坡坡度；场地平整工程验收时，应检查坐标、高程和平整度，中线位置、平面尺寸，边坡坡度，水沟和排水设施的中线位置，断面尺寸和标高。土方场地的长度、宽度不应小于设计要求、边坡坡度不应大于设计规定且场地标高的允许偏差应为±100mm；石方场地的长度、宽度不应小于设计规定、边坡坡度不应大于设计规定，且场地平整标高允许偏差、边坡坡底线允许偏差均应为－150mm～＋100mm。

3 边坡难免会因坡体过陡、渗水、坡面易风化或是岩石边坡有裂缝等现象而引发变形乃至滑坡等情况，进行边坡变形监测是非常必要的。边坡变形监测应按现行国家标准《建材矿山工程施工与验收规范》GB 50842—2013 中第 8.2.6 条规定的具体内容进行。

5.2.3 本条对基坑、基槽、管沟工程的施工测量作出了规定。

2 现行国家标准《建材矿山工程施工与验收规范》

GB 50842—2013中表 10.7.1 规定的基坑、基槽、管沟开挖的验收标准如下：

项次	检查项目		验收标准
1	底部高程(mm)	土方	允许偏差 $_{-50}^{0}$mm
		石方	允许偏差 $_{-200}^{0}$mm
2	断面尺寸		不小于设计值
3	坡面坡度		不大于设计值
4	铺砌厚度		不小于设计值

5.3 采矿场工程的施工测量

5.3.1 本条对采准剥离工程的施工测量作出了规定。

2 现行国家标准《建材矿山工程施工与验收规范》GB 50842—2013中第 7.9 节规定：采准剥离工程验收，应检查采准平台(剥离平台)的坐标、高程和平整度、平台宽度、长度；边坡坡度和坡角线；采准剥离平台的长度和宽度不应小于设计要求；平台的标高允许偏差应为±200mm；边坡坡度允许偏差应为±5°；边坡坡底线允许偏差应为－300mm～＋200mm。

5.3.2 本条对竖井工程的施工测量作出了规定。

4 现行国家标准《建材矿山工程施工与验收规范》GB 50842—2013中第 12.11 节规定：井筒竣工后应检查井筒中心坐标、井口标高、井筒深度、与井筒连接的各中段或斜巷道口的标高和方位；井筒的断面和井壁的垂直度；竖井的掘进半径，可大于设计要求 100mm～200mm；井筒竣工验收，应提供实测井筒的平面位置图，标明井筒中心坐标、井口标高，与十字线方位及设计图有偏差时注明造成偏差的原因。实测井筒的纵断面、横断面图；测量记录。建成的井筒规格应符合井筒中心坐标，井口标高与设计要求允许偏差应为±50mm；与井筒连接的各水平运输巷道和主要硐室的标高允许偏差应为±100mm；井筒的最终深度应符合设计要求。

5.3.3 本条对巷道工程的施工测量作出了规定。

4 现行国家标准《建材矿山工程施工与验收规范》GB 50842—2013 中第 13.9 节规定：巷道竣工后，应检查标高、坡度、方向、起点、终点和连接点的坐标位置；中线和腰线及偏差。工程竣工验收时，应提供实测平面图、纵横断面图、井上井下对照图。

5.3.7 本条对矿井联系测量作出了规定。

4 现行国家标准《冶金工程测量规范》GB 50995 中对近井点测量、一井定向、两井定向、陀螺仪定向和高程联系测量的技术要求均作了详细规定，本规范直接引用，不再另作要求。

5.4 开拓运输及破碎输送工程的施工测量

5.4.2 现行国家标准《工程测量规范》GB 50026 中对架空索道的施工测量技术要求作了明确规定，带式运输机可参照执行。本规范直接引用，不再另作要求。

5.5 废石场工程和尾矿库工程的施工测量

5.5.1 本条对废石场和尾矿库拦挡坝工程的施工控制测量作出了规定。

7 本款对坝体周围设置的平面和高程控制点测量作出了规定；

2）建网一年后或大规模土石开挖结束后应进行复测。发现控制点有位移迹象时，应及时复测。

8 本款包括观测用的起测基点和工作基点。

5.6 竣工总图的编绘与实测

5.6.1 竣工总图与一般的地形图不完全相同，是真实地记录各种地下、地上建（构）筑物经施工后最终状况的技术文件，是对工程进行交工验收、维护、改建、扩建的依据，是管理工程设施的依据和凭证,而且是进行技术交流的重要信息,更是非常重要的技术档案。竣工总图主要是以编绘为主。当编绘资料不全时可进行补测或全面实测。

6 生产运营测量

6.1 一 般 规 定

6.1.1 生产运营期间，为满足国土资源管理部门对矿山开采现状的管理要求，同时也便于项目业主及时掌握矿山开采动态，开采现状测量是必不可少的环节。开采过程中因随时有大量的爆破工程，采矿场边坡会有垮塌和滑坡的安全隐患，且在矿石采空后也会造成岩层与地表以及重要工程的沉降及变形，进行相应的监测是非常必要的。

6.1.2 生产运营期间的开采现状测量、监测等工作应尽量使用已有控制成果，个别控制点因施工或开采过程被破坏或发生位移时，应按需加密或补充。

6.1.3 建材矿山各类监测基准网的建立无特殊要求，按现行国家标准《工程测量规范》GB 50026 的有关规定执行即可满足工作要求。

6.2 开采现状测量

6.2.1～6.2.4 这几条规定依据国土资源管理部门和项目业主对矿山开采动态的管理要求，结合建材矿山工程测量的特点，并借鉴了现行国家标准《工程测量规范》GB 50026 的有关规定。

6.2.7 分阶段依次逐级定向时，同一水平两次定向测量结果之差不应超过 $14'/\sqrt{n}$（n 为中间定向水平个数）。

6.2.9 碎部导线测量可根据生产需要选用低精度经纬仪、罗盘仪或简易测角仪等进行。用低精度经纬仪敷设碎部导线时，水平角应采用一次复测观测，倾斜角用正倒镜观测，边长用钢尺丈量。导线和三角高程的相对闭合差分别不应大于 1/500 和 1/1000。敷设支导线时应有可靠的校核措施。

6.3 采矿场边坡监测

6.3.3 本条对野外观测资料的整理与分析作出了规定。

3 包括各观测点的下沉值及水平移动值，相邻各点间的垂直变形（倾斜与曲率）与水平变形（拉伸与压缩）；测点的下沉速度，可只计算个别观测点。

5 图中应着重表示出滑落前后边坡的位置、滑落体形状和范围、滑落方向及裂缝。监测工作小结应包括概述、发生滑坡的时间、地点和原因，地表变形情况及对采剥工程和建筑物的危害程度、观测资料的分析结论、处理意见等内容，并应附滑落体平面图、断面图及移动和变形曲线图。

6.5 地下采空区地面位移监测

6.5.1 采空区是指地下采矿后在地表下面产生的“空洞”，随着矿山向深部开采，地压增大，地下空区在强大的地压下，容易地表移动或发生坍塌事故；地下开采残留大量的采场、硐室、巷道没有进行及时处理，都将给地表的矿山工作人员和设备带来严重的威胁。

6.5.2 地面位移监测点设置成直线并尽量与矿层走向垂直或平行有利于监测工作开展，监测结果能较为客观反映岩层走向与地表位移变化的相对关系，有利于综合分析、总结矿区地表沉降与位移的基本规律。

6.5.4 点位在基岩露头区采用凿石制点较为稳定，可立即进行观测。点位标石采用现场浇注式或混凝土预制件时，应在点位埋设至少1周并稳定后方可进行观测。

6.5.6 地表移动活跃期是指地表每月下沉值大于50mm。

6.5.8 受地下开采的影响，采动区地表会发生大幅度的沉陷和水平移动，进而产生裂缝和塌陷。测量指标包括裂缝位置、宽度、深度，塌陷的位置、范围、深度等。

6.5.10 地面沉降与位移曲线的垂直比例尺应根据具体情况确定，以在地质断面图上能清楚地表示为宜。

7　成果质量检查

7.0.1～7.0.3　依据有关的法律法规、有关国家标准、行业标准、设计书、测绘任务书等，实行成果质量过程检查和最终检查制度是测绘行业的惯例，各级检查工作按顺序进行，互相干扰、省略、代替或颠倒顺序都将会导致成果质量无法得到保证。

7.0.9　项目委托方或业主有其他特殊要求时可按要求增加提交成果种类和数量，成果内容以实际作业中所涉及的内容为准。

7.0.10　本条对成果质量检查报告的主要内容作出了规定。

1　检查工作概况应简要叙述检查的时间、检查地点、检查方式、检查人员、检查的软硬件设备等；

2　受检成果概况包括来源、测区位置、生产单位、资质等级、生产日期、生产方式、成果形式、批量等；

3　阐述质量检查过程中采用的各个检查参数及检查方法；

4　按检查参数，分别叙述成果中存在的主要质量问题，并举例（图幅号、点号等）说明；

5　质量综述应包括下列内容：

（1）按检查参数分别对成果质量进行综合叙述（不含检查结论）；

（2）质量统计：缺陷类型及数量、质量评定；

（3）其他意见或建议（若无意见或建议，可不列）。

6　质量检查结论应为“质检合格”、“质检不合格”或“限时整改后复检”的明确意见；

7　附件应包括附图和附表（若无附件，可不列）。

8 成果报告编写与验收

8.2 成果报告的编写

8.2.5 包括必要的精度统计。

8.2.6 包括电子数据及纸质资料。项目委托方或业主有其他特殊要求时可按要求增加提交成果种类和数量，成果内容以实际作业中所涉及的内容为准。

8.2.7 成果报告中涉及设计测量、施工测量、生产运营测量等专用术语还应符合本规范的规定。

8.3 成果提交

8.3.1 本条对归档提交的成果资料作出了规定。

4 本款第6项中包括陀螺定向测量的测量记录。

5 本款第3项中包括设计图纸检查结果记录、工程放样设计和现场标定点位的参数数值台账等。

8.3.2 成果资料应按《中华人民共和国测绘成果管理条例》的管理要求，分类编号登记，建立使用和保管制度，完成成果副本或成果目录汇交。汇交测绘成果资料的范围以国务院测绘行政主管部门公布的范围为准。

8.3.4、8.3.5 为便于存档，所有纸张均应采用A4规格(210mm×297mm)。

8.4 成果验收

8.4.1 项目甲方有验收能力的可自行组织验收，否则应委托具有检验资格的单位或机构验收。

8.4.4 项目甲方有其他特别工作要求的，可在本条规定的基础上增加验收时应提交的成果内容。

8.4.6 验收时随机抽取不低于被检验成果总量10%的样本进行验收是最低要求，验收方可根据实际情况适当增加验收样本比例。

8.4.10 成果验收报告一般由验收单位主管领导负责审核（如是委托验收的，验收报告还需经委托单位主管领导审核）后，随成果资料一并归档，并应抄送作业单位（或部门）。验收报告应包含验收组成员名单，并附验收组成员亲笔签名表。

1 验收工作概况应包括验收时间、验收地点、验收方式、验收人员、验收的软硬件设备等；

2 包括来源、测区位置、生产单位、资质等级、生产日期、生产方式、成果形式、批量等；

3 包括抽样依据、抽样方法、样本数量等。若为计数抽样，应列出抽样方案；

4 阐述成果的各个验收参数及验收方法；

5 按验收参数分别叙述成果中存在的主要质量问题，并举例（图幅号、点号等）说明；

6 质量综述应包括下列内容：

(1)按验收参数分别对成果质量进行综合叙述（含验收结论）；

(2)样本质量统计：缺陷类型及数量、样本得分、样本质量评定；

(3)其他意见或建议（若无意见或建议，可不列）。

7 验收结论应明确为“验收合格”、“验收不合格”或“限时整改后复验”；

8 附件应包括附图和附表（若无附件，可不列）。

附录A 井下平面控制测量

A.0.1 两类控制导线都应敷设成闭(附)合导线或复测支导线。

A.0.2 各矿井可根据采掘工程的实际需要,依矿井和采区开采范围的大小选定。

A.0.5 主要巷道包括:斜井,暗斜井、平硐、井底车场、水平(阶段)运输巷道,总回风道,集中上、下山,集中运输石门等。

A.0.8 因作业条件限制,井下建立控制网与地面控制网的联系测量精度较难控制。用加测陀螺定向边的方法改建已建立的井下平面控制网,可以明显提高原有控制网与地面联系测量的精度。

A.0.11 有条件时,也可在主要巷道中全部埋设永久导线点。

A.0.19 当掘进工作面接近各种采矿安全边界(水、火、老空区及重要采矿技术边界)时,除应及时延长经纬仪导线外,还应以书面形式报告矿(井)技术负责人,并通知安全检查和施工队等有关部门。

A.0.20 基本控制导线的边长小于15m时,两次观测水平角的较差可适当放宽,但不应超过本条规定限差的1.5倍。如不符合上述要求,应继续向后检查,直至符合后,方可由此向前延长导线。为避免用错测点,导线边长也应进行检查。

附录C 技术设计的编写要求

C.0.3 技术设计验证程序可在有必要验证时采用。按本规范第C.0.8条规定，当设计方案采用新技术、新方法、新工艺时应进行设计验证。

C.0.5、C.0.6 编写技术设计时需要注意以下几个事项：

(1)引用适用的国家、行业或地方的相关标准，重视社会效益和经济效益。

(2)要根据作业区实际情况，考虑作业单位人员的技术能力和软、硬件配置情况等资源条件，挖掘潜力，选择最适用的方案。

(3)对于外业测量，必要时应进行实地踏勘，并编写踏勘报告。根据外业测绘任务的具体内容和特点，踏勘报告应包含作业区的行政划分、经济水平、自然地理情况、气候、交通、治安、卫生等信息及对技术设计方案和作业的建议等内容。

(4)对作业生产中容易混淆和忽视的问题，应重点描述。

C.0.8 当设计方案采用新技术、新方法、新工艺时，应进行设计验证。

C.0.12 概述部分应主要说明任务的来源、目的、任务量、作业范围和作业内容、行政隶属以及完成期限等任务基本情况；作业区自然地理概况与已有资料情况部分应根据测量任务的具体内容和特点，说明与测量作业有关的作业区自然地理概况和已有资料情况；作业依据部分应写明技术设计编写过程中所引用的标准、规范或其他技术文件。文件一经引用，便构成测量技术设计内容的一部分；测量成果的主要技术指标和规格部分应规定测量成果的主要技术指标和规格，包括成果的坐标系统、高程基准、重力基准、比例尺、分带、投影方法，分幅编号、数据格式、数据精度以及其他指标等；施工组织方案部分应根据测量的内容和特点，确定软、硬件环境及其要求，作业的技术路线或流程，各工序的作业方法、技术指标和要求，生产过程中的质量控制环节和产品质量检查的主要要求，数据安全、备份、上交和归档成果及其资料的内容和要求，有关附图、附表等内容。

C.0.13 为确保测量成果达到规定的设计目标，参加评审人员应包括评审负责人、设计编制人员、必要时邀请的有关专家等。为确保技术设计文件满足设计依据的要求，必要时应依据设计策划的安排对技术设计文件进行验证。验证宜选用对比、对照等方法。当设计方案采用新技术、新方法和新工艺时，对技术设计文件进行的验证宜采用试验、模拟、试用、对比、对照等方法。

C.0.14 为确保测量成果满足使用要求或已知的预期用途的要求，应依据设计策划的安排，对技术设计文件进行审批。设计文件的审批依据应包括设计依据、设计评审和验证报告等。设计文件报批之前，承担测量任务的法人单位应对设计文件进行全面审核。审核签字后，应制作一式2份～4份报送测量任务的委托单位审批。

C.0.15 经审批的设计文件，是经过优化后的作业指导文件，随意更改可能会对测量作业的施工组织、成果质量产生重大负面影响。当确需要更改或补充有关的技术规定时，应按本规范第C.0.13条、第C.0.14条的规定对更改或补充内容进行评审、验证和审批。

统一书号：1580242 · 987

定　　价：15.00 元